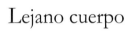

Lejano cuerpo

Víspera del Sueño

Colección de Poesía

Poetry Collection

Dream Eve

Franky De Varona

LEJANO CUERPO

Nueva York Poetry Press®

Nueva York Poetry Press LLC
128 Madison Avenue, Oficina 2RN
New York, NY 10016, USA
Teléfono: +1(929)354-7778
nuevayork.poetrypress@gmail.com
www.nuevayorkpoetrypress.com

Cuerpo lejano
© 2021 **Franky De Varona**

© Contraportada:
William Velásquez

ISBN-13: 978-1-950474-57-8

© Colección Víspera del Sueño vol. 02
(Homenaje a Aída Cartagena Portalatín)

© Dirección:
Marisa Russo

© Diseño de portada:
W. V.Vásquez

© Diseño de interiores:
Moctezuma Rodríguez

© Fotografía de interiores:
Archivo personal del autor

© Fotografía de portada:
Adobe Stock License #17067215

De Varona, Franky.
Cuerpo lejano / Franky De Varona. 1a ed.-- New York: Nueva York Poetry Press, 2021,
118 pp. 5.25" x 8".

1. Poesía cubana. 2. Poesía latinoamericana.

A Lilliam Moro
In Memoriam

I
Lejano cuerpo

Dime el secreto de tu cuerpo bajo tierra.

VICENTE ALEIXANDRE

CARICIA QUE REVELA

A Alejandra Pizarnik.

La muerte ni siquiera es eterna.
Es la campana que se escucha del otro lado
donde habitan las infames hormigas,
el pálido instante en la vendimia del tiempo.

¿Cuál sería el epitafio adecuado?

Tú y tu soledad,
tus fobias,
tu tartamudez,
tu sobrepeso inquietante,
tu marcado acento,
te llevaron a la tierra más lejana
que ninguno conoce.

Acaso te aburrían los cafés de Montmartre
los paseos por el Sena,
                    Rimbaud,
                    Mallarmé,
                    Pound.

¿Ya no te desafían, no te conmueven?
¿Dónde dejaste la bohemía
en un París frío de cafés literarios
o en el Buenos Aires de un tango?

¿Dónde quedó Cortázar
que apenas te rescata?
¡Oh "bichito" no mueras!
¡No te marches!

¿En qué cenicero habita el humo de un cigarrillo
        apagado
o un coñac en el climax tu garganta?

Y tú, Alejandra,
tan judía,
tan argentina,
tan aferrada a las madrugadas,
te desprendes del tiempo
y buscas poesía al otro lado del umbral.

Te alejas de todo para siempre
y nos dejas esperando tu último poema,
el que aún te falta.

¿Por qué te marchaste a deshora?
Vuelve,
no nos abandones
que tu decir es caricia que revela.

SINFONÍA

El tiempo abate sin prisa.
Las sombras se deslizan
por los rincones.

La historia es un hielo derretido
mientras llueve dentro
en un cántico circular
sin ventanas
ni paraguas que amainen lo imposible.

Los misterios crecen abandonados,
se desbordan por el cuenco de las manos.
El color del silencio se confunde
con la catástrofe de la noche anterior.

Tu cuerpo tiembla como un fantasma.
Pones la otra mejilla
—siempre el mito de la otra mejilla—
para no ahogarte en el pánico.

Llueve más que de costumbre.

La noche se alarga en la oscuridad que le sobra.
Solo queda el ensayo de lo que pudo haber sido;
lavas las sábanas
donde se unieron dos cuerpos.
Ulises sigue buscando Ítaca.

TÚ

Todavía tiemblan entre mis brazos tus palabras
de medianoche, de media tarde, de media vida
aunque la magia del silencio intenta borrarlas
de una vez por todas.

LILLIAM MORO

Tú y tu brisa ocupan toda la plaza,
los relojes antiguos, los rincones,
la nieve derretida de un instante.
Te haces infinita y te expandes
por las venas como un río desbordado.

Tú y ese modo de volar
por los ramajes más altos del tiempo
como una lanza que roza los párpados.

Tú y ese modo embestir el corazón desposeído;
la cruz, el milagro sin límites,
el grito intermitente que quema la noche.
Tú, ruta de la seda entre las garras,
eres el engendro de los dioses.

Tú apareces siempre
en el instante en que veo pasar una nube
desde un banco.

Tú, la carne viva,
la pequeña gota que horada la piedra,

siempre desnuda con tu vestido de flores,
con tus ojos que derriten la calma.

Tú, la dentellada del tiempo,
te arrancas de donde te escondes
en lo deshabitado.

Tú, que deletreas en tu boca
un beso anticipado,
te posas en el sueño de un tálamo distante
y dejas en ruinas a la soledad.

Tú, que convulsionas
el color del silencio,
desarmas el caos de mis deseos.

SOLEDAD ATRINCHERADA

Cargas mis insanias.

Recoges uno a uno mis tropiezos
en esa forma tan tuya
de amontonar mis escombros
en el desasosiego de un mundo
que no entiende de caídas,
ni de alforzas,
ni de incendios.

Y me vuelvo un árbol
que lento pierde sus ramas.

Me hago instante entre tus dedos,
donde todo se detiene.

En esta soledad atrincherada en la piel,
quedamos suspendidos
en los límites de las heridas,
en esa lluvia de palabras donde evitamos el infinito
cuando el abismo se encuentra al final de la garganta.

CRISTALES EMPAÑADOS

Así, desnudo ante ti,
sin atenuantes.
Nuestras manos atadas
crepitan en la bruma,
palpan las yescas amontonadas
que nos alcanzan en la oscuridad.

¡Detengamos este ciclo
de amarnos en el trayecto!
¡Saltemos las vallas
entre el viento y la noche!
¡Que el ego de tu voz
deje de ser un pájaro abandonado!

La incertidumbre morirá
entre las pesadillas
que empañan los cristales
de una ruta equivocada.

Solo en ese instante,
la soledad y el miedo
ya no serán huertos prohibidos,
ni ojos perforados por las dudas.

Entonces,
solo entonces
nos sobrarán las sombras.

LEJANO CUERPO

Ella,
un pueblo lejano.

Yo salivaba mis impulsos
entre la cerradura y los escondrijos,
escudriñando eclipses,
historias no contadas
mientras la descubría.

Ella, una flor palpitando en la cama,
una herida abierta.
Cada noche regaba
amapolas en su vientre
y yo la miraba como un barco que se ausenta.
Ella, un océano, casi el Báltico de Noruega,
era la piedra que no podían patear mis zapatos.
Desde el ojo de la cerradura,
observaba una constelación acumulada
en su pecho.

Ella intuía mis jadeos.

Era diciembre,
había escarcha en los huesos,
una cama frente a mis pupilas
y una flor en su lengua habitando mis planetas.

Yo la veía desnuda como una montaña
y ella lo presentía.

24   Franky De Varona

MONÓLOGO

Estás en mí,
en el olor del próximo día,
en la vastedad de mis galaxias;
atemporal,
cíclica,
evanescente,
imaginada,
como las columnas de un templo
sepultado en el olvido,
como el roble que se escabulle del sol.

Estás en el ámbar que envuelve a un insecto.

Eres la sed que habita la chispa
en el repique de una campana.

Busco la piedra que acaricie tu estirpe.

Eres la profecía que espera ser cumplida,
la última tentación de una lluvia inevitable.

A VECES UNA SOMBRA

> ¿Quién puede afirmar que la luz y la sombra no hablan?
> Solamente aquellos que no comprenden el lenguaje del día
> y de la noche.
>
> MOUSSA-AG-AMASTAN

Una sombra se me encaja en las costillas
como una asta;
soy la inmensa cruz que carga.

Solo al amanecer
me libero de su asedio
cuando se oculta en el crepúsculo.

Ella y yo tenemos una extraña relación.

Sabe que soy zurdo y nos merecemos.

Acepta que le he enseñado
a caminar a mi diestra.

MAGGIE Y YO

Maggie, la de las pecas, tenía cosidos diecisiete años en sus paisajes.

Vestía una desnudez de flama y corolas.

Me regalaba lo impalpable, sus dinteles, sus humedades, su mirada de recién estrenada.

Con su andar de ballet, sus senos de cordillera helvética y sus caderas de ondulantes enigmas conjuraba al ángel y al demonio de los orgasmos.

En un perfecto francés me hablaba de París, de Edith Piaf, de Johnny Halliday, y yo en su alfombra mágica, buscaba el Sena.

Su piel era un mapa que me llevaba al placer desconocido.

Aquel sofá, testigo de nuestra historia, sigue en La Habana como huella de lluvia desdibujada cuando se precipita en los charcos de una cómplice avenida.

Maggie pasó a ser una fotografía, el olor a nunca, el espacio vacío que quedó a la derecha de mi almohada, una imagen rota en la levedad de una ola.

Retrato de Bukowski

Tal parece que los instantes pierden su elasticidad en el estruendo de la urgencia.

Las sombras se adueñan del cascabelear de los astros mientras la oscuridad devela su silueta de presagios en las perpetuidades.

No hay líneas que impidan su cause en la apatía de las procesiones después de atravesar el camino de los huesos.

Todo es calma ingente, premonitoria, con voz de antaño, cosida a la humedad que carcome la lluvia en la sinfonía de la muerte.

Una foto pierde sus bordes como un libro en desuso en la vorágine de un levante allá afuera, en los días del vértigo y los dados.

Desde la ventana, se escucha el réquiem de un adagio de libélulas.

Pero en el cuartucho de Charles es invierno, un escenario de ropa mojada por doquier adornado por zapatos con olor a soledad.

En sus manos arden dos botellas al azar entre la confusión y el polvo, mientras una araña dibuja los relojes de su perdición, una copa, un cenicero inundado de restos, Ezra Pound en una vieja portada, un poema maldito frente a la nimiedad de una máquina de escribir esperando el devenir de la madrugada.

El corazón hiende lo urdido agitado en sí mismo como cuando se rompe por última vez. Es que todo lo que se espera llega siempre tarde.

La muerte que llega fácilmente
como un tren de mercancías
que no oyes cuando estas de espaldas.

Tal parece que Bukowski ha muerto.

PAÍS

Soy el que, sin cesar, me hago.

TRISTÁN CORBIÉRE

¿Dónde habitaba tu alma
mientras la mía,
como un pájaro inmóvil,
sucumbía a la esperanza?

HÁBITO

Ese hábito de pensar en ti.

¡Oh Dios!
¡Aparta el miedo de amarnos
desde camas extrañas
en el deseo tras las cortinas
para sentirnos en los latidos de la madrugada
durante los embates de la piel!

Es el sonido de tu cuerpo mientras te recorro
como esos mapas indescifrables
que conducen a ninguna parte
donde dejamos los sueños atrás.

¿Has escuchado?

Es el ruido de tu vientre,
el reflejo de lo absoluto
mientras intento descifrar lo que no dices.

El sonido cansado de lo que pudo haber sido,
de lo que nunca fue,
pero ocurrió en algún momento.

ESPEJISMO

Ven, Demonio.

ARTHUR RIMBAUD

Saca tu red de mis aguas
en las escamas de la noche.

Debajo de mi piel
yacen tus rastros,
tus emblemas
tras la turbulencia de los cristales
que ya no reflejan nada.

Aparta de mí la utopía de tus miedos
que descalzos llegan como Penélope
y flotan en el espejismo de tu vientre.

Huyo de tu hiel como las olas
cuando besan el abismo,
como una carta en el bolsillo del abandono.

SOLILOQUIO DE UNA SIEMBRA

Apenas tenía tiempo para sembrar.

NICANOR PARRA

Somos el desastre de un labriego,
el pecado nacido en una huerta.

Somos la espiga que resiste
el implacable viento a la intemperie.

Somos la lumbre de un hostal,
en la geografía de una mala cosecha;
pero nos faltan motivos
para una nueva siembra.

ADAGIO

Despierto,
luego te pienso.
Rastreo las notas del Adagio de Albinoni
en una copa de vino.

Ahora la botella está vacía.

Solo queda abrir la ventana
y escuchar el ruido de la lluvia.

II
Solo faltan los aplausos

Los restos del festín de la impaciencia.

OCTAVIO PAZ

MÁSCARAS

¿qué vas a ser cuando seas grande?
y la respuesta que no quiso decir:
"el gran simulador".

LILLIAM MORO

Nada se salva,
ni siquiera la brisa que se aleja en busca de otros rostros
en los espejos que reflejan la cara oculta del olvido.

El ego echa mano de las máscaras,
del simulacro,
de la falsedad organizada
para una buena representación.

Solo faltan los aplausos.

ISLA APÓCRIFA

Soy una isla apócrifa,
                    expatriada,
de muros agrietados que apenas dejan traspasar
el ruido de las horas.

Temo que la distancia sea un fraude
y deje de ser el camino más corto
entre la lluvia y el vértigo
que provocan mis pasos en el tumulto.

Que mis playas
se conviertan en una ciudad
llena de musgosos albedríos,
        de zombis que no sueñan,
        de caminos trizados,
        de azotes publicitarios
                sin atajos
                        de calles
                que terminen
                            en los zapatos

Que un poeta camine de espalda
entre los espejismos y las historias no contadas
que van quedando a la vera de una acequia.

Que los instantes levitando en las manos
no quepan en los relojes
y se conviertan en un asedio,

una vuelta a las manecillas,
y no lleve a ninguna parte:
solo al interminable laberinto de lo prohibido.

Temo convertirme en ínsula
dentro de un mapa olvidado
en el asombro de estar vivo

Repetirme una y mil veces,
y no saber morir,
y no saber vivir,
ni reinventarme
en la geografía de mis cicatrices.

NO HAY DE OTRA

Enjaulado
en la penúltima esperanza
donde siempre llueve,
he perdido el paraguas
y las llaves del encierro.

Todo revela que mañana
comenzará de nuevo
este acto revolucionario de la fe.

Todo revela que las telarañas
no le tienden trampas al olvido
sino a los deseos.

Todo revela que no hay de otra.

VERBOS OXIDADOS

Soy el protagonista de una fábula que no ha encontrado su final.

Había estrenado unos zapatos nuevos. Pero los pájaros son otros.

Las calles, las personas no son iguales y nunca las horas serán las mismas.

He sido el personaje que abandonó muchas brújulas en el camino.

Las palabras se han tornado verbos oxidados y dejo escapar el pasado por la última puerta.

Los zapatos ya están gastados.

Los niños han crecido.

FOTO ANTIGUA

Callado entre medias luces,
las memorias se ajan
en el silencio de un retrato.

¿Terminaré siendo un cuadro
o el clavo que lo sostiene?

BALSERO

Vegeta bajo las nubes más desamparadas.

No osa mirar hacia lo alto ni a los extremos
solo hasta donde llega la sombra de sus zapatos.

Va camuflado de miedo entre discursos
y carteles sobre fachadas destruidas.

Ya no lo puede ocultar,
desfila a la trinchera.

Viste el sofocante uniforme de la muerte,
          una bota sobre el alma,
          una estaca sobre el pecho.

Nadie lo escucha,
camina hacia su inevitable derrumbe
y escoge su propia balsa.

DÉJÀ VÚ

La lluvia resbala
sobre un vitral de la casa.

El sol atropella
el recuerdo de un patio lejano.

Una palabra sostiene la puerta de caoba,
abre la ventana a destiempo:
un campo de caña,
una fuente,
un barco de papel que no encuentra el horizonte
y un patio,
        siempre el patio.

CASTÁLIDAS

Hay un óleo de Van Gogh
como luna sobre un cesto de partituras estrujadas;
la incesante espera de las castálidas.

Hay un poema que aguarda
entre los viejos párpados
y las manos temblorosas.

Y una copa de vino…

Del otro lado del espejo
hay alguien que no reconozco.

A UN POETA

Quién sabe si en algún rincón junto a un cenicero lleno de colillas de sueños, en una biblioteca antigua, alguien se estremezca sosteniendo un libro lleno de polvo, de páginas casi indescifrables por un licor derramado al descuido sobre la tinta del poeta.

Entonces, el lector se pierde en sus memorias y viaja por los caminos del pasado, sonríe, incluso llora.

Quizás en algún momento visite un amor que ya no existe.

Luego se preguntará quién sería aquel poeta salido de un libro polvoriento que lo llevó de la mano a su pasado.

EL ARTE DEL SIMULACRO

He malgastado palabras,
frases repatriadas
que retornan las metáforas como un bumerán.

He dilapidado horas,
párrafos borrados,
sonetos nunca escritos
y siento que he llegado a dominar
el arte del simulacro.

EL ARMARIO DEL BISABUELO

Guardo en un armario un par de efemérides, una cajita con tres reliquias y una esperanza desteñida como lo hacía el bisabuelo Francisco.

A veces quiero abrirlo, pero he perdido la llave. En realidad, nunca lo he visto abierto de par en par.

Dicen que los armarios guardan los grafitis del tiempo, las lágrimas repatriadas, los cadáveres de la antigua placidez, las ruinas del último aquelarre y una luna imaginaria que anda de feria.

Prefiero entonces, dejarlo cerrado y que no vea morir la tarde como lo han hecho mi padre y mi abuelo.

SOBRE EL ASFALTO

La noche corta las palabras
que chocan caóticas unas contra otras,
vestigio de una jadeante lluvia
que en abril asoma sin aviso
y arrastra el rostro de la tarde
donde termina la última bofetada.

Camino sobre el asfalto mojado de la vieja calle
en busca de una silueta,
un porvenir que cuelga del techo de la vida,
una respuesta reflejada en los charcos.

Pero nada aparece.

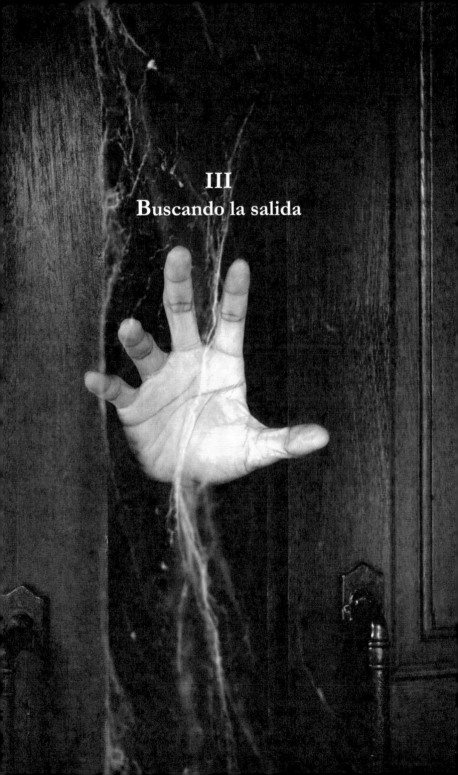

III
Buscando la salida

Estoy solo y no hay nadie en el espejo.

CITA

Y te pregunto,
dueña de las mareas,
del momentáneo infinito:
        ¿Retornaré de tu rapto como un cóndor
revoloteando sobre su propio cadáver?,
        ¿me dejarás escapar en la madrugada?
¿me enseñarás la senda donde se bifurque el tiempo?

LECTURA DE VIDA

Miro de frente a la vida
aun cuando habito en un cuarto sin ventanas
y no alcanzo ver el Halley en el 2061.

Cierro el puño
ante el absurdo y la náusea de Sartre
palpando la oscuridad del alma.

Camino con paso irremediable
y la sonrisa a punto
llenando con palabras
los huecos del vacío,
las sombras que cortan la madrugada.

No olvido
que lo inolvidable
es inolvidable,
aunque amanezca devorado como un perro
que ha perdido un hueso carcomido.

Nunca me quitaré los zapatos
aunque aparezca la muerte.

ULISES LO SABE

El mar no es como el de las fotos
de los japoneses
o el que vemos en la tele.

El mar se desangra como un pez desahuciado
entre las olas.

Pero el mar está hecho para que un viejo pescador
eche sus redes con la esperanza
de una mesa que aguarda con pan, vino y hambre.

El mar ha persistido en esas costas
donde hundo mis manos sin saber de ecos,
ni de arenas,
ni de mareas extintas entre las ruinas
sin formas de olas,
los espacios esquirlados en las noches llenos de huidas.

El mar tiene su dueño y Ulises lo sabe.

No queda más

Desde la ventanilla tranviaria mi
asiento es la cima
del mundo

ALEJANDRA PIZARNIK

No queda más que la ingrávida espera,
el cambio,
el rayo que derribe las casas abandonadas.

No queda más que zambullirse
en el trayecto de un tren enloquecido
como maletas olvidadas
en algún vagón desvencijado.

Y volver la mirada hacia arriba
donde se cuecen los relámpagos,
las luces descifrando las grietas,
mirar el silencio,
los instantes,
los pantanos
desde unos párpados distantes.

No queda más que partir en dos el miedo
y excavar en los desastres.

PUERTA DE ESCAPE

> Tocar el corazón una vez más, rescatarlo.
>
> MAGALI ALABAU

Escapo de las incómodas vestiduras,
de los trajes de domingo,
las abreviaturas,
los eclipses
y los derrumbes.

Escapo del terror de estar atrapado
en un ascensor en el cuarto piso.

Olvido que la vida es un relámpago,
una lluvia que cae por dentro,
un retrato que se va destiñendo.

Sin embargo, al final de los finales,
quiero que en un baúl se guarde
una última frase,
        la que aún espera,
        la que siempre quise decir y nunca dije
y solo diré cuando escape.

SIN RUMBO

Conduzco por la calle del tiempo.

El silencio es una senda infinita llena de baches,
       sin semáforos
       sin señales,
       sin la radio encendida.

Hoy no consigo llenar mi soledad con la música
de Chopin o Beethoven.

Desconozco mi ruta.

Es tarde y hace frío.

Un cartel a lo lejos
me avisa que llegaré
a ese pensamiento ajeno que me habita.

La madrugada se abandona en las azoteas
donde pueblan los ocasos deletreados
que dejan sus sombras en las luces
de ese olor a nunca.

Los insomnes ya duermen.

Ellos también lo merecen,
aunque yo maneje sin rumbo toda la noche.

COMO ZEUS

Rescato los relámpagos,
los sueños y las mitades calcinadas
en el envés de la llama
del último incendio.

CALIGRAMA

Escondido yace el silencio
en los precipicios del desenfreno
y su breve eternidad.

La lluvia se posa en la espalda
como un caligrama incrustado
en los costados del tiempo
y muere en el infinito conflicto
                              de una palabra.

SOLEDAD

Siempre busca la puerta que la salva
de la huida a ninguna parte,
de la prisa,
de las inmóviles escenas
sobre la nieve recién acumulada.

Siempre persigue las flechas
que señalan epitafios
donde será la noche más larga.

ANSIEDAD DEL LIBRO

Una nube cruza la otredad del eco.

Un látigo horada la pupila.

La armonía de una calle sin nombre
se repite entre los árboles,
mientras un manojo de páginas
cruje al filo del laberinto
de los dedos de un lector.

CULTO AL ASÍNDETON Y POLISÍNDETON

Conjuro razones
tapiadas, ocultas, grises, heladas, solitarias;
arquetipos y sombras
que no reflejan nada,
que se alargan atestados
                              de hastíos,
                              de sed.

Invoco pájaros asidos a las cornisas de una noche
y susurros que gritan silencios arcanos
y razones equívocas,
y crepúsculos anunciantes,
y brújulas desterradas,
y brazos colgados,
y voces marchitas,
y faroles ausentes
y horizontes pintados de magenta.

Ruego que el ahora sea brasa y resurrección,
que descosa los ojales del tiempo
como un páramo que escapa de su propia aridez.

LOS OLVIDADOS

Hay una foto colgada en cualquier sitio.

La razón se disfraza
en las paredes de sí misma
entre tristezas y riesgos
apagada, ajada, silenciosa.

La luz murmura
en el fondo de un pozo
donde muchos quedan olvidados.

El rescate relampaguea
en los pulmones de las horas.

PÁJAROS

¡Oh pájaro de paso!
Tú que has nacido en cautiverio,
a veces fantaseas
que el agua es tu elemento.

No, no confundas plumas con escamas.

La falta de aire es tu verdadera jaula.

PERRA NOCHE

Una vieja estación.
Un tren se pierde en el horizonte.
Unos rieles se desdibujan en la neblina
entre dos dimensiones.
Un antiguo reloj marca la hora.
Un gato le aúlla a la noche desde algún tejado,
un perro echado como un vagabundo
se saca las pulgas de la tristeza.

Pero a quién le importa la perra noche,
la luz lenta de un farol,
los equipajes sin nombre,
los pasillos solitarios
cuando la campanilla anuncia una partida.

SILUETAS

A través de la ventana
observo los pájaros
que errantes
atraviesan los crepúsculos
en busca de otros fracasos.

Nadie regresa del futuro.

SIN MARCHA ATRÁS

Existe una línea roja,
una prohibición tácita,
un cartel de peligro
que alerta hecatombes;
una línea escabrosa,
sin leyes escritas en las paredes
donde las palabras se arriesgan
a cruzar lo imperceptible.

Saben que ya no hay marcha atrás.

ENCRUCIJADA

En una calle
las esquinas se doblan como páginas,
los techos desvencijados,
las casas aferradas a los caminos
pretenden ser fronteras repintadas.

Las ruinas se quedan en los retazos de la tarde.

Es la arbitraria fuerza del destino
que impone su sello como un látigo.

Se presiente la tormenta.

Viene de la mar vestida de soledad.

La vida hierve en el asfalto.

A VECES

A veces olvidamos el sol
hasta que el invierno llega.

A veces olvidamos la luna
hasta cuando su luz
es la única del camino.

A veces olvidamos la tierra
hasta que perdemos la cosecha.

Insisto, sólo a veces.

EN EL TRAYECTO

En un mundo de discursos
hay silencios muriendo de frío,
actos exagerados
que se desordenan entre los dedos.

Es cuando la huida se retrasa
y el amor se posa como los pájaros
en las alambradas.

La vida se ancla en su errático andar,
llena de cadáveres y rutas equivocadas
pero siempre mira hacia el norte,
bordea el cansancio,
y lo confunde con el destino.

Las pisadas escriben los recuerdos
y quedan las marcas del asedio.

QUIJOTE ENANO

Vivía al pie del barranco sin saber quién era.
Abandoné mis medidas aún vestido de niño.

Tenía una espada de juguete, una carriola y algún recuerdo de vidas extrañas.

No había sombras ni nubes entorpeciendo la tarde, ni siquiera lluvias que me obligaran a observar desde los cristales empañados de unos párpados.

Me atraía escuchar el ruido del agua de la fuente del patio donde ponía a navegar mis barquitos de papel que no llevaban ancla.

No había descubierto el insoportable mundo de las confusiones: todavía podía dormir tranquilo.

Y continué con mi espada de juguete desenvainada y mi carriola, vestido de vaquero, empinando papalotes acompañado de hormigas, desafiando a las gigantes aspas de mi mente como un quijote enano.

LA NUIT

Páramo incesante
repleto de esquirlas y guijarros,
fonemas, abandonos,
catástrofes donde sobreviven
los pecados en la burda necesidad de otrarse.

Reloj extinguido
entre sábanas y dudas,
páginas inconclusas
que convierten la relativa nostalgia
en banal conjetura
en el necio trillar del viaje.

Arcángel que huye del poniente,
glacial reptado de alas jadeantes
por no acertar el norte y su conjuro de sombras.

Lámpara derretida
en las cenizas rotas
de tanto invierno
en el eco raído de los ojos.

Poema abandonado en una azotea
o en el muro de los lamentos.

Si la entendieras…

¿Adónde nos llevarían las olas
que diminutas aguardan su reflejo
deletreando los abismos
en un preludio de huecas lunas?

El mar pierde su nombre
en la noche de nadie.

LA TARDE

La tarde atraviesa las paredes
desalojando exilios y culpas.

La tarde rompe,
deshilacha,
moja los recuerdos
que se agolpan como una sombra
y vuelve la noche más sometida,
más sola.

ANTE LAS FOTOS DE PAUL NEWMAN, OMAR SHARIF, ROGER MOORE, TONY CURTIS Y OTROS

Retratos antiguos,
perfiles derrumbados,
imprecisos paisajes de antaño.

Rostros estáticos sobre la cartulina,
a los que les da vida mi mirada.

Detrás de las fotos,
un acervo de huesos debajo de los sauces,
un mar de cenizas y lluvias pasadas,
la solitaria mudez de lo que una vez
fueron incendios.

Hoy, fotos amarillas pegadas en un álbum
guardado en un armario,
de esas que nadie recuerda.

Y yo las miro como si fueran mías.

ÚLTIMA LLUVIA

Llovía como un antojo de junio.
Las gotas rodaban por los opacos vitrales.
　　　No se trataba de una lluvia cualquiera sino de aquella que impone su vertical sello desde lo alto.

　　　Solo se escuchaba el erótico sonido de aquella tormenta.
　　　La calle desierta acumulaba soledades y charcos para ser brincados por algún niño, para saciar la sed de un pájaro.

　　　Nadie miraba los anuncios:
　　　esa noche la protagonista fue la lluvia.

MARGINADOS

Cuando llueve,
ellos,
los sin voces,
los que nadie admira,
se refugian en un hostal.

Les hago compañía.

Las barras están atestadas de tristeza.
Llevan sobre los hombros un destino
que no han llegado a comprender.

Yo tampoco.

Un azotado por la vida
se bebe hasta su última gota de esperanza.

La noche se midió en botellas.

El viento cierra la puerta
del bar de los ignorados.

Ya no hay licor para calmar el desasosiego.

La noche es el peor momento de los marginados.

La Plaza mayor, Madrid

Son las doce en la Plaza Mayor, repleta de carteles, adoquines reacios a lo inevitable, hermosos ventanales y restaurantes para turistas.

Cien japoneses con sus Nikon en mano alrededor de una estatua, africanos vendiendo cualquier cosa y algún que otro tour de gringos con sandalias y camisas de playa. El sonido de una campana interrumpe los relojes.

Las estrellas temblorosas cuelgan pálidas como ruinas mientras el viento azota en la espalda.

Como fruta suspendida se desangra la noche sin un sol de compañía, y madura cae como hoja trasparente sobre los cristales del tiempo.

Son las doce de la noche y no hay nadie en las calles.

La Plaza Mayor muere durante ocho horas para despertar a una nueva historia, una nueva postal en algún álbum de fotografías.

PARÉNTESIS DE DOMINGO

Era invierno cuando descorría las cortinas, miraba hacia afuera tratando de ver la vida tras los visillos.

Apenas divisaba a unos niños con sus zapatos de salir arruinándolos en los barrizales o en la fuente de algún centro comercial.

En la lejanía, el asfalto reverberaba en los adoquines como olas de brea.

El sonido de una fábrica y su humo de antaño cortaba el aire como una navaja herrumbrosa.

En la vieja parroquia de la esquina, un anciano y su inevitable botella, con su soledad a cuestas, buscaba absolución a sus pecados: -sí, la misma sin las campanas.

Tres ebrios acumulaban el pasado sobre los ceniceros.

Los minutos colgaban como relojes de Dalí.
Las lenguas gigantes de la tarde mordían cada gota que resbala sobre los vitrales.

Todo parecía un eterno paréntesis.

HIJOS DE LA CALLE

Son los hijos de la calle
quienes me acogen,
me muestran cómo amar
a cambio de una caricia.

Cada día me aguardan con su larga cola
y su mirada aguda,
rozando su lomo contra mis piernas.

Me enseñan que la soledad es otra cosa,
que hay tejados,
autos donde guarecerse,
un basurero olvidado
o algún amor furtivo
en el implacable viento a la intemperie.

Son los dueños de la noche,
niños desamparados
que nunca crecen.

Me adoptan,
me enseñan el camino,
me gradúan de ser vivo.

Yo solo los alimento.

ACERCA DEL AUTOR

Franky de Varona (La Habana, Cuba) es p oeta, narrador y ensayista cubano. Ha publicado los poemarios *Solitudes* (2015), *De Azares, Laberintos y Cenizas Rotas* (2016) *Las Gaviotas También Vuelan en Diciembre (Editorial Dos Islas)* (2017). Participó en la Feria Internacional del Libro, Miami, 2017. Sus poemas han sido publicados en algunas revistas literarias cómo *Crear en Salamanca*, de España, Revista Altazor, de Chile, Hiedra Magazine, de México entre otras, y en diversas antologías de América Latina y Europa como *Voces del café, La floresta interminable, La Habana convida, Impertinencia de las dípteras*, etc. Ha participado en el evento de la Franco Poesía París 2016, también en el evento Parlamento Internacional de Poetas y Escritores en la ciudad de Cartagena, Colombia 2017, Festival Internacional de Poesía de Turrialba 2019, Costa Rica. Fue el orador principal en al onceavo aniversario de la Tertulia Cuatro Gatos, de Orlando, Florida, y de numerosos eventos en Nueva York, donde ha impartido charlas literarias a estudiantes en Hunter College, Florida International University), Francia, España, México, Costa Rica, Colombia, Orlando, Miami, etc. Ha sido galardonado en concursos internacionales de poesía, obteniendo menciones especiales y premios importantes como la primera mención de honor en el Concurso Mundial de Poesía, llevado a cabo en Seattle U.S.A. 2014, así como primeros lugares en concursos literarios en Argentina, España, México. Es miembro de la Sociedad Internacional de Poetas y Escritores de América.

ÍNDICE

Lejano cuerpo

I. Lejano cuerpo

II. Solo faltan los aplausos

III. Buscando la salida

Colección
VÍSPERA DEL SUEÑO
Poesía de migrantes en EE.UU.
(Homenaje a Aida Cartagena Portalatín)

Colección
PREMIO INTERNACIONAL DE POESÍA
NUEVA YORK POETRY PRESS

Colección
CUARTEL
Premios de poesía
(Homenaje a Clemencia Tariffa)

1

El hueso de los días
Camilo Restrepo Monsalve

-

V Premio Nacional de Poesía
Tomás Vargas Osorio

2

Habría que decir algo sobre las palabras
Juan Camilo Lee Penagos

-

V Premio Nacional de Poesía
Tomás Vargas Osorio

3

*Viaje solar de un tren hacia la noche de Matachín
(La eternidad a lomo de tren) /
Solar Journey of a Train Toward the Matachin Night
(Eternity Riding on a Train)*
Javier Alvarado

-

XV Premio Internacional de Poesía
Nicolás Guillén

4

Los países subterráneos
Damián Salguero Bastidas

-

V Premio Nacional de Poesía
Tomás Vargas Osorio

5

Las lágrimas de las cosas

Jeannette L. Clariond

-

Concurso Nacional de Poesía
Enriqueta Ochoa 2022

6

Los desiertos del hambre

Nicolás Peña Posada

-

V Premio Nacional de Poesía
Tomás Vargas Osorio

Colección
PIEDRA DE LA LOCURA
Antologías personales
(Homenaje a Alejandra Pizarnik)

Colección
MUSEO SALVAJE
Poesía latinoamericana
(Homenaje a Olga Orozco)

Colección
SOBREVIVO
Poesía social
(Homenaje a Claribel Alegría)

Colección
TRÁNSITO DE FUEGO
Poesía centroamericana y mexicana
(Homenaje a Eunice Odio)

Colección
VEINTE SURCOS
Antologías colectivas
(Homenaje a Julia de Burgos)

Antología 2020 / Anthology 2020
Ocho poetas hispanounidenses / Eight Hispanic American Poets
Luis Alberto Ambroggio
Compilador

❧

Colección
PROYECTO VOCES
Antologías colectivas

María Farazdel (Palitachi)
Compiladora

Voces del café

Voces de caramelo / Cotton Candy Voices

Voces de América Latina I

Voces de América Latina II

Para los que piensan, como Joan Margarit, que "la poesía imparte conocimiento y consuelo", este libro se terminó de imprimir en diciembre 2021 en los Estados Unidos de América.

Made in United States
North Haven, CT
02 February 2024

48259028R00071